FECHAS PARA LA HISTORIA

1 de septiembre de 1939

Hitler *Invade* Polonia

FECHAS PARA LA HISTORIA

1 de septiembre de 1939

Hitler *Invade* Polonia

John Malam

EVEREST

Título original: *1 September 1939*
Hitler invades Poland
Traducción: Liwayway Alonso Mendoza

First published by Cherrytree Book (a member of the Evans Publishing Group), 2A Portman Mansions, Chiltern Street, London W1U 6NR, United Kingdom

Carretera León-La Coruña, km 5 - LEÓN
ISBN: 84-241-1603-8
Depósito legal: LE. 994-2004
Printed in Spain - Impreso en España
EDITORIAL EVERGRÁFICAS, S. L.
Carretera León-La Coruña, km 5
LEÓN (España)

Atención al cliente: 902 123 400
www.everest.es

Picture credits:
Corbis: cubierta, 12,19, 20, 21, 24, 25
Hulton Getty: 6, 7, 9, 10, 11, 14, 15, 26
Popperfoto: 8, 16, 17, 18
Topham Picturepoint: 13, 27, 29

Sumario

El día que el mundo entró en guerra

La guerras cambian el curso de la historia. En ellas combaten personas que piensan que están haciendo lo más correcto. Las fechas en que se libraron quedan en la memoria y sus líderes son aclamados como héroes u odiados como monstruos.

A lo largo del siglo XX, se libraron las mayores guerras que el mundo había visto jamás. Eran guerras mundiales, conflictos armados que se extendieron por todo el globo. Entre ellas, la Segunda Guerra Mundial, que duró seis años, desde 1939 hasta 1945, fue la peor guerra de la historia. En aquella guerra murió mucha más gente que en cualquier otra. Se calcula que unos 20 millones de soldados de infantería, marina y aviación perdieron la vida, y llegaron a morir hasta 40 millones de civiles inocentes. El hombre

Un monumento en el campo de concentración de Dachau, que recuerda a aquellos que perdieron sus vidas entre 1933 y 1945.

responsable de aquella matanza fue Adolf Hitler, y todo comenzó cuando su ejército de soldados alemanes invadió Polonia, el 1 de septiembre de 1939.

Hitler tuvo un comienzo poco prometedor en la vida, pero progresó hasta llegar a convertirse en el dirigente de Alemania. Sin embargo, él quería algo más que eso. Su deseo era convertir Alemania en una potencia mundial, y acabó empujando a las naciones europeas a una guerra. Él acabó muerto sobre las ruinas de Berlín, su capital. La historia está escrita por los ganadores de las guerra, no por los perdedores, y la historia es quien ha proclamado a Adolf Hitler como uno de los hombres más odiados del mundo.

La gente regresa a sus casas en la ciudad de Berlín, destruída por las bombas, tras el final de la Segunda Guerra Mundial.

Los primeros años de Hitler

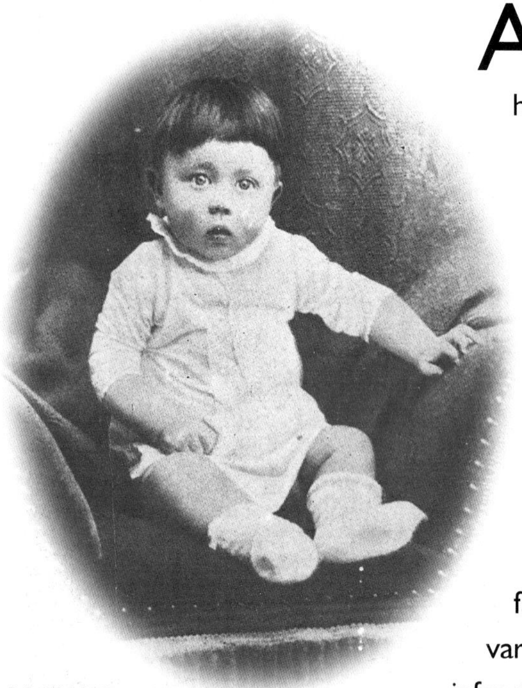

Adolf Hitler nació el 20 de abril de 1889, el cuarto hijo de Alois Hitler y Klara Pölzl. Nació en el pueblo de Braunau, en Austria, cerca de la frontera con Alemania.

Los Hitler eran una familia de clase media, acomodada pero no rica, que podía permitirse tener cocinero y criada. La familia se cambió de casa varias veces a lo largo de la infancia de Hitler, porque el trabajo de su padre como funcionario de aduanas le llevaba de ciudad en ciudad.

Adolf Hitler cuando era un bebé, en 1890.

El padre de Hitler era un miembro respetado de su comunidad. Vivía para su trabajo y pasaba más tiempo trabajando que con su familia. Cuando estaba en su casa era un hombre muy severo. Tenía muy mal genio y podía llegar a ser violento. A menudo pegaba a su hijo pequeño. Años más tarde, Hitler contó que había temido a su padre y jamás le había querido. En cambio, sentía una devoción total por su madre. Ella le quería, le cuidaba, se interesaba por las cosas que le gustaban. A pesar de eso, la infancia de Hitler no fue feliz.

Una vista de Austria a principios del siglo XX: el país donde nació Hitler.

Los problemas no residían sólo en la vida familiar de Hitler. Su educación fue interumpida varias veces por las frecuentes mudanzas de la familia. Asistió a cinco colegios diferentes y eso afectó a su rendimiento. Su ortografía, su gramática y su caligrafía eran malas. Al parecer, lo único que se le daba bien era el arte y soñaba con ser pintor.

La adolescencia de Hitler también fue complicada. Cuando tenía 14 años, murió su padre. Y a los 19, murió su querida madre.

Vida y política en Viena

Tras la muerte de su madre, Hitler se trasladó a Viena, la capital de Austria. Ya había visitado antes la ciudad, cuando intentó ingresar en la escuela de Bellas Artes, pero fue rechazado. Desde 1908 hasta 1913, Hitler se ganó un pequeño sueldo en Viena dibujando edificios para venderlos, y con trabajos ocasionales. Llegó a dormir en albergues para mendigos, vestía con ropas malas y apenas se afeitaba ni se bañaba.

Adolf Hitler durante sus años en Viena, que más tarde describiría como una época de "miseria y aflicción".

Durante aquella época, con los 20 años recién cumplidos, Hitler empezó a interesarse por la política. En los bares y centros de reunión en Viena la gente discutía los problemas de la sociedad y aquello que pensaban que los ocasionaba. Hitler escuchaba con atención. Se culpaba a un pequeño grupo de personas por todo lo que iba mal: los judíos. Lo que decía la gente no era cierto, pero eso no impedía a nadie expresar sus sentimientos antisemitas. A Hitler le gustaba lo que oía. Conversaba con la gente. Cuando hablaba Hitler, les tocaba escuchar a los demás.

El odio a los judíos no era ninguna novedad. Habían sido perseguidos en Europa desde la Edad Media, cuando se contaban falsas historias acerca de ellos: se les culpaba de todo, desde la peste hasta el asesinato de niños cristianos. A finales del siglo XIX, los filósofos alemanes comenzaron a alegar que el pueblo alemán pertenecía a una raza superior, cuyas facultades llegarían a hacer poderosa a su nación. Aquellos mismos pensadores sostenían que los judíos que vivían entre ellos eran débiles, que apenas se les podía considerar humanos, y que eran "alimañas". Los periódicos comenzaron a llamar a los judíos enemigos de los alemanes.

Desde Viena, Hitler se fue a vivir durante una temporada a la ciudad alemana de Munich. Aunque era austríaco de nacimiento, Alemania se convirtió en el país que más amó.

.a ciudad de Munich, Alemania, en los años veinte.

La primera guerra mundial, 1914-18

El 28 de junio de 1914, el archiduque Francisco Fernando, un miembro de la familia real austríaca que era el heredero al trono de Austria, fue asesinado. Su muerte marcó el comienzo de la Primera Guerra Mundial.

Incluso antes del asesinato de Francisco Fernando, ya existía tensión entre los países de Europa Central. En febrero de aquel año, Hitler había sido llamado a filas por el ejército austríaco. Cuando los médicos le examinaron, decidieron que no estaba en forma para ser soldado.

El archiduque Francisco Fernando de Austria y su mujer Sofía en Sarajevo, minutos antes de ser asesinados.

El enfrentamiento comenzó en Agosto de 1914 y Hitler se las arregló para ingresar en el ejército alemán, para luchar contra Gran Bretaña y Francia. A pesar del dictamen de los médicos austríacos, resultó ser un buen soldado.

Durante la Primera Guerra Mundial, Adolf Hitler (a la derecha) participó en 47 batallas y recibió medallas como premio a su valor.

Alemania perdió la Primera Guerra Mundial. Fue un momento decisivo en la vida de Hitler. Él esperaba ansioso el día en que Alemania pudiera volver a ser poderosa. Sabía que la gente se fijaba en él cuando hablaba en las reuniones: quizá fuera capaz de emplear su talento por el bien de Alemania.

Después de la guerra, Hitler regresó a Munich. La ciudad se había convertido en el centro de la actividad política de Alemania. Muchos grupos de activistas tenían allí su sede, y uno de ellos era el **Partido Obrero Alemán.** El ejército alemán pidió a Hitler que espiara a este grupo para descubrir qué estaba planeando. Entonces él descubrió que tenía mucho en común con el Partido Obrero Alemán. Como él, aquellas personas odiaban a los judíos, amaban a Alemania, y soñaban con el resurgimiento de su nación derrotada.

El triunfo del Partido Nazi

En 1919, Hitler decidió meterse en política. Se unió al Partido Obrero Alemán, como miembro número 55. Hitler pensaba que podía convertir a ese pequeño grupo de personas en un partido político: una fuerza con la que pudiera identificarse.

Cuando Hitler se unió a él, el partido era poco más que un pequeño grupo de gente que hablaba de sus creencias, sin cambiar el funcionamiento de la sociedad. No tenían grandes planes. Hitler lo cambió todo.

Comenzó a utilizar su elocuencia para influir en el pensamiento de la gente. A su primer discurso en nombre

La recreación de un artista que representa a Hitler hablando en una de las primeras reuniones del Partido Obrero Alemán, en los años veinte.

del partido, en octubre de 1919, sólo asistieron 111 personas. Más tarde, el 24 de febrero de 1920, más de 2.000 personas acudieron a escucharle. En aquella concentración, Hitler bautizó al partido con un nuevo nombre: el Partido Nacionalsocialista Alemán del Trabajo. Hitler era su líder. Pronto llegó a conocerse como Partido **Nazi** por su nombre en alemán: *Nationalsozialistische Deutsche Arbeiterpartei.*

La esvástica, el inafame símbolo del Partido Nazi.

El Partido Nazi de Hitler tuvo mucha aceptación entre los alemanes, y miles se unieron a él. Los nazis pensaban que los alemanes eran una "raza elegida", superior a todas las demás. Creían que Alemania había sido castigada con excesiva dureza tras la Primera Guerra Mundial y que los judíos no debían participar en la sociedad alemana. Creían que Alemanía debía convertirse de nuevo en una gran nación y que Alemania debía ser dirigida por un alemán poderoso, a quien llamarían el **"Führer"** (el líder).

El Partido Nazi escogió como símbolo una cruz gamada, conocida como swastika. Los miembros se saludaban con la palabra *¡Heil!* (¡Salve!), y hacían un gesto con el brazo alzado.

El fracaso de una revolución

Los primeros años veinte fueron complicados para Alemania. La economía del país estaba destrozada, y el gobierno basado en Berlín, la capital de Alemania, no era popular. Los nazis opinaban que estaba controlado por judíos y por gente que tenía creencias muy diferentes de las de ellos, especialmente los **comunistas,** a quienes odiaban. Hitler vio que era su oportunidad de convertirse en el líder de Alemania.

Hitler en la prisión de Langeberg.

El 8 de noviembre de 1923, Hitler y sus partidarios intentaron comenzar una revolución en Munich. Esperaban que se extendiera por toda Alemania y llevara a la caída del gobierno. Al día siguiente, Hitler avanzó por las calles de Munich, al frente de 2.000 nazis, en un intento de tomar el control de la ciudad. La policía abrió fuego, y dieciséis nazis murieron a tiros. Hitler se dislocó un hombro. Dos años más tarde fue arrestado y acusado de traición. En el juicio resultó condenado a cinco años de prisión.

Hitler se dedicó a escribir la primera parte de un libro titulado *Mein Kampf* (Mi lucha) mientras estuvo en prisión.

Era la historia de su vida, sus creencias y sus reflexiones acerca del futuro del pueblo alemán.

El libro de Hitler fue un éxito de ventas. Todas las personas que sentían interés por las ideas nazis querían leerlo y aprender de él. En 1939, *Mein Kampf* ya había sido traducido a once idiomas y se habían vendido más de cinco millones de copias.

Una joven ordena un expositor donde se ve el libro de Hitler,* Mein Kampf, *en una librería (1940).

La llegada de Hitler al poder

Después de pasar solamente nueve meses en prisión, Hitler fue liberado. Además de escribir su libro había aprovechado el tiempo en prisión para pensar en los errores que había cometido. Aún pretendía ser el líder de Alemania, pero decidió que no debía emplear la fuerza para conseguir lo que quería. En lugar de eso, decidió que necesitaba llegar al poder por elección de los alemanes.

Adolf Hitler saluda a las multitudes que le vitorean tras su victoria en las elecciones de 1930.

El fracaso de la revolución había hecho daño al Partido Nazi. Sus partidarios habían perdido el interés y se habían dispersado. Hitler luchó con fuerza por reconstruir el partido y lo convirtió en una poderosa fuerza política. Durante las elecciones alemanas de 1930, seis millones de personas votaron al Partido Nazi, y 107 nazis fueron elegidos para el **Reichstag,** el parlamento alemán en Berlín. El Partido Nazi se había convertido en la segunda mayor fuerza política de Alemania.

En 1932, Hitler se convirtió en ciudadano alemán y durante las elecciones de aquel año el Partido Nazi recibió más votos que ningún otro partido. Catorce millones de alemanes le dieron su voto, y el Partido Nazi consiguió 230 escaños en el

Reichstag, haciendo del Partido Nazi el mayor partido político de Alemania. Después, el 30 de enero de 1933, Hitler fue elegido **canciller,** el líder del gobierno alemán. Había conseguido su propósito.

A la edad de 43 años, Adolf Hitler se convirtió en la persona más poderosa de Alemania. Había utilizado sus habilidades como orador para lograr apoyo en su política, y los alemanes le habían otorgado el poder con sus votos. Pensaban que volvería a hacer de Alemania un gran país.

Hitler jura su cargo como canciller alemán en 1933.

El Tercer Reich

Alemania era un país que tenía una larga e impresionante historia. Hubo dos imperios alemanes. Cuando el Partido Nazi llegó al poder en 1933, Hitler proclamó que aquello era el comienzo del **Tercer Reich** (Imperio). Les explicó a los alemanes que aquel sería el mayor de los tres imperios y que duraría 1.000 años.

El edificio del Reichstag, el corazón del gobierno en Berlín, durante el incendio de 1933.

Una noche, en febrero de 1933, poco después de que Hitler llegara al poder, un incendio destruyó el edificio del Reichstag. Los nazis culparon a los comunistas de haberlo provocado, porque eran casi tan odiados como los judíos. Algunas personas opinaban que los propios nazis eran quienes lo habían provocado. No importa quien fuera, porque Hitler aprovechó las circunstancias. Habló ferozmente contra las personas que, según él, se enfrentaban al Partido Nazi y al futuro de Alemania. Le apoyaron más alemanes que nunca, y en las elecciones de marzo de 1933, 17 millones de personas votaron por el Partido Nazi. Aquello fue suficiente para darle a Hitler el control total del gobierno. Se había convertido en un **dictador** electo. Hitler prohibió el resto de los partidos políticos, y arrebató el poder a los sindicatos. La gente que se atrevía a hablar en contra de él o del Partido Nazi era apaleada, encerrada en los campos de concentración o asesinada.

En junio de 1934 fueron asesinados casi 400 nazis que Hitler pensaba que podían arrebatarle el poder. Aquella noche de asesinatos se conoce como la **Noche de los Cuchillos Largos.**

A medida que iba creciendo su control sobre las vidas de las personas, el saludo nazi cambió de *¡Heil!* a *¡Heil Hitler!* Los profesores comenzaban las clases saludando así a sus alumnos, y los niños debían pronunciar el saludo hasta 150 veces cada día. El símbolo de la esvástica se veía por todas partes. El sueño de Hitler comenzaba a hacerse realidad.

Un grupo de niños saludan a Hitler con el saludo nazi de ¡Heil Hitler!

La escalada hacia al guerra

La escalada hacia la Segunda Guerra Mundial comenzó en junio de 1919, un año después del final de la Primera Guerra Mundial. Aquel año, una Alemania derrotada se había visto obligada a firmar el **Tratado de Versalles**. En él se determinaba con precisión cuál sería el castigo para Alemania.

Las condiciones del Tratado de Versalles establecían que Alemania debía entregar tierras a otros países europeos: Polonia, Francia, Bélgica y Dinamarca. El ejército fue reducido a 100.000 hombres, la marina sólo podía tener seis buques de guerra y no había fuerza aérea. Los soldados franceses y británicos ocupaban una parte de Alemania –llamada la zona del Rin– y los soldados alemanes no podían entrar allí. Alemania debía pagar los daños causados por la guerra y aceptar la responsabilidad por haberla iniciado.

El Tratado de Versalles era humillante para Alemania. Los alemanes pensaban que habían sido castigados con excesiva dureza.

Tan pronto como Hitler alcanzó el poder en 1933, dejó claro que iba a ignorar los términos del Trato de Versalles. Empezó a rearmar Alemania. Formó las fuerzas aéreas y fortaleció la armada. En marzo de 1936 envió a sus soldados hasta la zona del Rin. Asimismo anunció su intención de recuperar las tierras alemanas entregadas a otros países.

Mapa de Europa Central tras la Primera Guerra Mundial.

En marzo de 1938, Austria se unió a Alemania. Era el primer gesto de Hitler para formar el Tercer Reich. Aún sentía mucho cariño por su tierra natal y, cuando los dos países se unieron, Hitler declaró que nunca en su vida se había sentido tan orgulloso.

Después Hitler se centró en la zona germano parlante de los **Sudetes,** una región de Checoslovaquia. Anteriormente había pertenecido a Austria, que la había entregado en 1919. A finales de septiembre de 1938 se firmó un tratado, y en la primera semana de octubre los soldados alemanes ocuparon los Sudetes. Era una nueva victoria para Hitler. Su siguiente objetivo fue Polonia.

Hitler invade Polonia

Cuando llegó el otoño de 1939, las fuerzas armadas alemanas ya superaban los 4 millones y medio de soldados de infantería, aire y marina. Estaban bien entrenados y disponían de buenos equipos. La fuerza aérea tenía más de 2.500 modernos cazas y bombarderos. Alemania se había convertido en el país mejor armado de Europa.

Los soldados de caballería polacos, armados con espadas y lanzas, no tenían nada que hacer contra la potencia de la artillería y los tanques alemanes.

La Segunda Guerra Mundial comenzó en la mañana del 1 de septiembre de 1939, cuando alrededor de un millón de soldados alemanes entraron en Polonia por tres frentes, y unos 1.500 aviones de guerra entraron en acción. De nuevo, Hitler declaró que su intención era recuperar la tierra que había pertenecido a Alemania. Los anticuados ejércitos polacos no podían medirse con los soldados alemanes.

El ejército alemán avanzó rápidamente por Polonia, dirigiéndose hacia Varsovia, la capital del país. El 16 de septiembre Varsovia ya estaba rodeada. Durante los 11 días siguientes, la ciudad sufrió un intenso bombardeo por parte de las fuerzas aéreas alemanas y de la artillería en tierra. El 27 de septiembre, Polonia se rindió.

Alemania había tardado sólo cuatro semanas en derrotar a Polonia, en lo que Hitler llamaba un **"blitzkrieg",** que significaba "guerra relámpago". Era un tipo de ataque totalmente nuevo, que combinaba las fuerzas aéreas y las terrestres con la velocidad y el ataque por sorpresa, basándose en unas buenas comunicaciones y en tácticas inteligentes de batalla. La guerra relámpago de Hitler contra Polonia tuvo tanto éxito que sólo murieron 8.000 soldados alemanes, en comparación con unos 70.000 polacos.

El mundo había contemplado con impotencia cómo Hitler llegaba al poder, ignoraba los términos del Tratado de Versalles y se hacía con el control de Austria y los Sudetes. Sin embargo, la invasión de Polonia se vio con indignación: era sencillamente un acto de guerra y Hitler debía ser detenido.

os soldados alemanes marchan por las calles de Varsovia, en Polonia, elebrando el desfile de la victoria.

La derrota de Alemania

El 3 de septiembre –dos días después de la invasión de Polonia por las tropas de Hitle– Gran Bretaña y Francia declararon la guerra a Alemania. Alemania dominó durante el comienzo de la guerra. Muchos países (Dinamarca, Noruega, Holanda, Bélgica, Luxemburgo, Francia, Yugoslavia y Grecia) caían ante Alemania, y la fuerza aérea alemana atacaba las ciudades y los pueblos británicos.

Más tarde, en 1941, Alemania invadió Rusia, y también declaró la guerra a EE UU. Sin embargo, en 1943 los alemanes se rindieron en Rusia. Poco tiempo después, los alemanes de África del Norte también se rindieron. En 1944, una fuerza invasora de tropas británicas y americanas aterrizó en el norte de Francia. Mientras trataban de empujar al ejército alemán desde el oeste, el ejército ruso empujaba a los alemanes desde el este. En 1945, gran parte de Europa se había librado ya del control de Alemania, y los ejércitos de Gran Bretaña, EE UU y Rusia se dejaron caer sobre Berlín, la capital alemana.

Unos soldados leen los periódicos donde se anuncia que Gran Bretaña y Francia han declarado la guerra a Alemania.

En los últimos días de la guerra, Hitler se refugió en un **búnker** subterráneo en Berlín. Allí, el 29 de abril de 1945, se casó con la que era su compañera desde hacía muchos años, Eva Braun. Al día siguiente, Adolf Hitler y Eva Braun se suicidaron. De acuerdo con el testamento de Hitler, sus cuerpos fueron incinerados y enterrados. Una semana más tarde, el 7 de mayo de 1945, Alemania se rindió y la guerra en Europa terminó.

Entonces se destapó el verdadero horror de la guerra, cuando se descubrió la **"solución final"** de los nazis. Entre 1941 y 1945, los judíos de toda Europa fueron reunidos y enviados a campos especiales, donde morían gaseados. Más de 6 millones de judíos murieron en los campos de concentración. Hoy, sólo con pronunciar las palabras "nazi" y "Hitler", el mundo entero recuerda los horrores de la guerra.

Prisioneros judíos en un campo de concentración Alemán.

Cronología

1889	*20 de abril:* Nace Adolf Hitler en Braunau, Austria.
1903	*3 de enero:* Muere el padre de Hitler, Alois.
1905	Hitler termina sus estudios.
1907	Hitler es rechazado en la escuela de Bellas Artes.
1908	*21 de diciembre:* muere la madre de Hitler, Klara. Él se traslada a Viena e intenta trabajar como artista.
1913	Hitler se traslada a Munich, Alemania.
1914	*Febrero:* Es rechazado por el ejército austríaco.
1914	*4 de agosto:* Comienza la Primera Guerra Mundial. Hitler se une al ejército alemán.
1914	*Diciembre:* Recibe la Cruz de Hierro de Segunda Clase.
1918	*Agosto:* Recibe la Cruz de Hierro de Primera Clase.
1918	*Noviembre:* Termina la Primera Guerra Mundial.
1919	*12 de septiembre:* Hitler asiste a una reunión del Partido Obrero Alemán.
1920	*24 de febrero:* Hitler bautiza al Partido Obrero Alemán como Partido Nazi.
1920	*31 de marzo:* Hitler abandona el ejército.
1921	*29 de julio:* Hitler se convierte en líder del Partido Nazi.
1923	*8-9 de noviembre:* Hitler intenta una revolución.
1924	Hitler va a prisión, donde escribe *Mein Kampf.*
1930–32	El Partido Nazi se convierte en el mayor partido político de Alemania.
1933	*30 de enero:* Hitler se convierte en canciller. Comienza el Tercer Reich.
1933	*27 de febrero:* El edificio del Reichstag queda dañado por el fuego.

1934 *30 junio:* Hitler mata a sus enemigos en la Noche de los cuchillos largos.

1936 *7 de marzo:* La tropas de Hitler ocupan la zona del Rin.

1938 *12 de marzo:* Invasión de Austria.

Octubre: Las tropas de Hitler ocupan los Sudetes.

1939 *1 de septiembre:* Invasión de Polonia. Comienza la Segunda Guerra Mundial.

1945 *30 de abril:* Hitler se suicida.

1945 *7 de mayo:* Alemania se rinde. Termina la guerra en Europa.

Soldados soviéticos izan su bandera en el Reichstag de Berlín, tras la rendición de los alemanes.

Glosario

blitzkrieg Una palabra alemana que significa "guerra relámpago", y se emplea para describir un avance rápido y exitoso en terrirorio enemigo.

búnker Un refugio subterráneo hecho de acero y cemento.

canciller Jefe de estado alemán.

comunista Miembro de un movimiento político que cree que la economía de un país debe ser propiedad de toda la gente, no sólo de unos cuantos individuos privilegiados.

dictador Una persona que gobierna un país con poder absoluto, y que no permite que haya oposición.

"solución final" El término nazi utilizado para el asesinato de los judíos.

Führer Una palabra alemana que significa "líder", adoptada por Hitler como título oficial a partir de 1931.

Partido Obrero Alemán Un partido político que Hitler transformó en el Partido Nacionalsocialista Alemán del Trabajo (el Partido Nazi).

Nazi Miembro del Partido Nacionalsocialista Alemán del Trabajo (el Partido Nazi).

Noche de los cuchillos largos 30 de junio de 1934, cuando Hitler ordenó el asesinato de unos 400 nazis que se oponían a él.

Reichstag El parlamento alemán, en Berlín.

Sudetes Una región montañosa tomada de Austria al final de la Primera Guerra Mundial y entregada a Checoslovaquia. Se entregó a Alemania en 1938.

esvástica La cruz gamada que se convirtió en el símbolo del Partido Nazi a partir de 1919.

Tercer Reich El término que adoptó Hitler para describir el imperio de 1.000 años que esperaba crear para Alemania.

Tratado de Versalles El tratado de paz firmado en 1919 en Versalles, cerca de París (Francia), y que redibujó el mapa de Europa tras el final de la Primera Guerra Mundial.

ndice analítico